D0542398

ÉCLAT REDOUBLÉ

Les Écrits des Forges
ont été cofondés par Gatien Lapointe
en 1971 avec la collaboration de
l'Université du Québec à Trois-Rivières.

La SODEC (Société de développement des entre-
prises culturelles) et le Conseil des Arts du Canada
ont aidé à la publication de cet ouvrage.

**Conseil des Arts   Canada Council
du Canada   for the Arts**

Canadä

*« Nous reconnaissons l'aide financière du gouver-
nement du Canada par l'entremise du Programme
d'Aide au Développement de l'Industrie de l'Édition
(PADIÉ) pour nos activités d'édition ».*

Illustration: Tableau de Claude Tousignant.

Distribution au Québec

En librairie:
Diffusion Prologue
1650, boul. Lionel Bertrand, Boisbriand, J7E 4H4
Téléphone: 1-514-434-0306 / 1-800-363-2864
Télécopieur: 1-514-434-2627 / 1-800-361-8088
Courrier électronique: prologue@prologue.ca

Autres:

Diffusion Collective Radisson
1497, Laviolette, C.P. 335
Trois-Rivières, G9A 5G4
Téléphone: 1-819-379-9813 — Télécopieur: 1-819-376-0774
Courrier électronique: ecrits.desforges@tr.cgocable.ca

Distribution en Europe
Écrits des Forges
6, avenue Édouard Vaillant
93500, Pantin, France
Téléphone: 01 49 42 99 11 — Télécopieur : 01 49 42 99 68
courrier électronique: ecrits.desforges@tr.cgocable.ca

ISBN
Écrits des Forges: 2-89046-718-X

Dépôt légal / Troisième trimestre 2002
BNQ ET BNC

ANGÉLINE NEVEU

ÉCLAT REDOUBLÉ

Écrits des Forges
C.P. 335, Trois-Rivières, Québec, Canada G9A 5G4

DE LA MÊME AUTEURE

Synthèse, Surmodernisme, Paris, 1976.

Lyrisme télévisé, La Nèpe, Paris, 1980.

Rêve, Loques, Paris, 1982.

Désir, Centre Georges-Pompidou, Paris, 1985.

Je garderai la mémoire de l'oubli, Artalect, Paris, 1985.

Le vent se fie au vent, Écrits des Forges, 1994.

à Denyse Côté,

et à mes amis,

Jean Beaudet, Lise Ducharme,
Robert Smith, Robin Surin,
Stéphane Dahan et Yann Bernard

« *Sans l'espérance vous ne rencontrerez jamais l'inespéré.* »

HÉRACLITE D'ÉPHÈSE

LE POUR ET LE MOINS

Entre le cynisme et la sérénité
oscille l'âme détournée des chapelles
à méditation

Archimède
endormi aux seins dégonflés de l'amour
pèse le pour et le moins
devant les miroirs craquelés et vétustes
du temps
de la naissance à la mort,
sur le chemin de l'Histoire

Pluie poisseuse dans un cornet de glace
frais et friable
L'odeur des marais débusque l'intoxication
de la ruralité urbaine
Les jambes bleuissent
tandis que les essences de châtaigniers,
de bruyères et de lavande composent le miel

Allégorie en poupe

Que le vent m'emporte
aux quatre coins
de l'océan
sur un tapis
de mousse
au parfum
de chèvrefeuille
allégorie
en poupe
et bracelets d'antan
mais que le vent
m'emporte
aux quatre coins
de l'océan

Il ne faut pas couper la pluie en quatre

La rencontre de sa peau sur la mienne
bute comme la maladresse génétique
Ses caresses se font
et se défont le long du corps amaigri
attendant l'instant propice de la
douceur fusionnelle
Il ne faut pas couper la pluie en quatre
ni les drapés en suaires
Produire des images mentales
ou garder jalousement les traces de rêve
Éloigner les dragons mortifères
qui sucent et lapent
jusqu'à l'ultime oriflamme
Le bout de la langue parvient
jusqu'au lobe de l'oreille,
chaude et pointue éveillant le cou
par points de suspension à la vigueur
des matins de nuit blanche améliorée

L'ÂGE DE LA MATURITÉ SEXUELLE DES BALEINES

J'me fous pas mal de l'âge de la maturité sexuelle
des baleines
quand dans la vie
la tempête resurgit

Vaccination générale
de guerre en guerre
et de paix en paix

Ailleurs

Réfléchir est peut-être l'activité humaine me
passionnant le plus

Quand les feuilles s'amoncellent,
en attendant secrètement la délivrance de la
première tempête,
                    la paix infinie de la
neige sur la ville
                    l'âme irisée de larmes :

Quand refleuriront les lilas blancs ?
Question toujours au bord des lèvres
dans d'autres contrées.

La neige doit arriver dans la nuit
J'irai la débusquer
avant le flux des hommes

Un gros floc dans l'eau
vibration contrebasse
On frappe en vain à la porte

Le vent s'est levé
la tempête est différée
les prédictions sont erronées
reste le bol de chocolat
irréfragable inspiration

Pareil au caribou
nomade de l'Arctique
il n'y a pas de salut
sauf
par ce que l'on est

Barbarie
Crise
Crise de rire
Crise évolutive
Mal à la Tyrannie
Se déchoir la face
parce que l'imperfection
Se blâmer des karmas
alors qu'il y a parentés

Mais il y aura toujours le chant des oiseaux
dans l'immortalité du plaisir,
et les splendeurs de la joie.

JE TE FAXE LA PLUIE

Je te faxe la pluie

Blues au coin de mon cœur
je te faxe la pluie

Il pleut gris
Un avant-goût
de minuit

Je te faxe mes larmes
au parfum de gingembre

Je te faxe mes pleurs
aux senteurs
de quarts d'heure

Réponds

La laine noire des moutons
lavée
dans l'eau claire de la rivière
deux jours et deux nuits
n'a jamais pu devenir blanche
Le roi en est mort d'amour
effondré et solitaire

Vagabondage dans les fougères et
les bruyères roses
les abeilles butinent loin des
palmiers recouverts de sable blanc

Un homme seul est là,
au milieu des décombres phosphorescents
avec sa barbe blanche et un chapeau melon
un peu juste pour sa tête

Il me demande est-ce vous ?
Étonnée, je lui dis oui
et le rêve s'en est allé dans le café…

Il se lève chaque matin
pour sauver la planète
Un jour détective des lacs
volés
un autre jour à Toronto
ne sais rien d'autre de lui
sinon son goût pour la bière
et la mélancolie partagée des
poètes…

Le corsage

L'orage a dégrafé
mon corsage
il a arraché
les boutons

Les dauphins sont atteints de mélancolie
suicide collectif sur les rives du Japon
Chaque échouage est inquiétant
Statue à torchère irisée

L'oubli est la mémoire
Et si vous deviez peindre avec des rotatives ?

Saison de pluie en été
Humidité dans la moiteur de la pleine lune
au cœur des décisions
seule sur Mont-Royal à Montréal
imaginant Monterrey
alanguie de passé
« I love you » dit la chanson
« Welcome
Bienvenue » dit le napperon

LES GUENILLES DU RÉEL

Les guenilles du réel

Ce matin,
l'éveil du corps intérieur est maléfique
fuyant, s'accrochant aux guenilles du réel
grignoté par le doute
plaisir masochiste
Rébellion passagère vers d'autres rivages éclairés
de soleil noir parfumé à la violette
L'aube illuminée secouera les ruines

La neige et le feu

La neige et le feu
séquences passéistes dans le réel
à la queue-leu-leu
chauves-souris de Ré
la clocher est en berne
RÉGIME DE SÉCURITÉ DU PATRONAT
ET DES CLASSES DIRIGEANTES
Axe du levier de détente
Goupille du verrou antérieur
Carcasse à poignée ronde
Ressort de came du barillet
Le hibou à aigrette

Respiration bruyante retenue

délinquante

Femme d'absolu

Je suis une femme de l'absolu
Née de la convergence des quatre
points cardinaux
Venue du Sud,
des battements de mon cœur
aux accents terriblement slaves

Passage évidé du paysage solaire lunatique
Sur les brumes du vieillissement
Je suis partie
sans même catalyser la lourdeur
du mal rongeur du délire apocalyptique

Combat vert et noir de la peur sinueuse
du souvenir de la peur contrastée,
remodelée, filtrée, devenue bergamote
thé au jasmin
ou fleur flottante
dans le liquide bis, bois, bivouac
de l'aller sans retour jusqu'à l'horreur
de la mort délivrance sans délicatesse

Canyon sans Colorado sans Californie
juste pour un archet sur une contrebasse
picorée de sable blanc
flocon de blanche

Je me suis réveillée un matin
et j'écrivais gros
Quelque chose avait donc changé
Gourmande et avertie de la curiosité
je cherchais à en savoir davantage
Un jour de beau soleil « on arrêtera tout »
m'a dit le psychiatre

Depuis je surveille le soleil

LES FLEURS LIVIDES

1975

Les fleurs livides dégagent le parfum aigre-doux de
    la mort
les matins sont faits d'automne
La vie frappe aux quatre coins du désespoir
L'artiste filtre le plaisir, l'amitié, l'amour
La maîtrise des bouleversements intérieurs
est aussi un moyen de survie
La révolution grelotte à force d'attendre
Peut-être va-t-elle s'effacer?
Les iguanes veulent se tirer
Les arènes sont au-delà des mers, convulsives
Ce sont les derniers jeux du cirque

Les sens sont à l'état brut déployés vers la perception
Les quatre coins du lit se rétractent

Caduque, tenace, téméraire à fleur de peau, à fleur
de tripe,
Parachutée dans l'Habitude, entamée, à vif,
perce-neige, perce-cœur, pince-oreille,
animal indomptable, sauvage aux griffes acérées
merle-moqueur, capote, voiture-piège
Les sirènes déferlent sur la ville
l'attente est insoutenable
Le bruit des fourmis devient trop fort
Cascades en argent, étoile-filante-fixe, marbre doré,
Vernis d'acier, sabres affûtés, morne soleil
Ourlet de verre, violence, viol, ivresse
Bleus du corps, bénissez-moi
Le temps s'écoule de plus en plus longtemps
Cage de Faraday, laser, bombe à billes
je suis punie d'attente,
j'attends la mort à bras-le-corps
Le blanc est rouge
le sang est resté dans mes veines au chaud

Pierre la regarde attentivement en pleurant
    doucement
Les plantes sont au jardin et les ombres s'amoncellent
Le soleil brûle la ville, l'automne est désormais en été
Les ambulances sont saturées, je n'aurai pas d'enfant
L'herbe craque sous mes pieds, le papier est jauni
Le papier japonais est de riz

Tourbillon de maladresses
Nauséeuse association
des calamités proscrites
Le vent est là
L'économie du verbe

Macha russe blanche
nattes rousses
yeux bruns
robe décolletée
de préférence en mousseline
portait de bon matin
ses parures diamantines

Corps à mots
offrande du frisson

Dernier cri avant la lettre
« Mine de rien »
Se rogner les ailes

Je ne pouvais sourire devant eux
Perroquet-cerf-volant
cartes postales sur la plage
limage de dents
l'image de marque
Y a quelque chose

Trois fois par semaine
je suivais ses cours de piano
Et l'Ukraine m'apparaissait
la neige
les patins à glace pour se rendre à l'école
Peintures allégoriques
Offrande du frisson

Une partition proposée
aussitôt interprétée
seconde écoute
troisième écoute
Appréciations
Le corps a vibré
passion
Festival d'automne et de printemps
Vision jaune de Naples
Partition et oreille
frou   frou   frou

Au rythme des découvertes
la grande forêt dominante
un air dans le battement
con fuoco
ou cendreux
nénuphars dans l'eau calme

La pluie cadence le temps

ACCENTS DE LA NEIGE

Gris du ciel aux accents de la neige
Les patinoires ouvrent leurs pistes
Un homme avec deux chiens dans la ruelle
Le ralentissement
La ralentie
le calme de la cité blanche
éternité d'un jour

Quand tu me quittes

Quand tu me quittes,
l'espace du désir
non formulé
ajoute au soleil d'hiver
la fumée blanche
des silences

Revivre sa vie en morceaux comme
avant sa mort
carrousel et moulin à café
rite mortuaire
spécialité à la réglisse mentholée
le souffle du soupir
                du temps évidé
sorcier blanc et noir
panne sèche desséchée de tes lèvres écriture
amertume
amertume déglutie

Crème glacée Meu Meu
Le restaurant Saint-Hubert
à côté
La librairie Guérin

De l'autre
Lumières d'été
Une fille sur des patins
de la grosseur
        d'un char

Reflets d'or
sur visage pâle
30 degrés Celsius
70 pour cent d'Humidité
casquette blanche
chemise mauve
et jean bleu

Lumière
Lumière
Lumière

ISIS ORANGE
en vrac
et soda jaune sur la table
avec paille fluo
Gros énervement :
trois coups de klaxon !

ÉLOCUTION TEMPÊTE

Blancheur de la neige
la pureté m'apaise
et engendre le calme
Petits cratères de poudre sur
la mer

Vagues moutonneuses sculptées
par la glace
                                        bleuies
par le soleil de midi

Tout est blanc
Les maisons du village aussi

Chute de neige à l'élocution tempête
C'est le jour des vidanges qui se couvrent
de ouate
les hommes se glissent dans leurs passions
Modèle sans clavier
Le rire aux yeux
les sapins de Noël ont été ramassés

Pureté vivante

Le soleil ne fait qu'un
avec le givre
de la stalactite
Roche octogonale rouge
Transparence totale

Pureté vivante
au-delà
de la fenêtre

À la tombée de la nuit
la stalagmite
est devenue
toute grise

À la tombée du soir
elles sont devenues
miroir

À la neige
a succédé la pluie
et j'ai trouvé ça long

Des arbres nus
en enfilade
les feuilles ont surgi
Force toute puissante de la nature
au cœur vert
dans la ville
merci Beauté

Le vent froid s'est levé
Premiers flocons de neige
froidure irrésistible
désir de désert
Du gris matin
la lumière a jailli et fait place
au ciel bleu
au soleil
et tout devient miracle

Secousses intérieures
à ébranler les âmes,
l'esprit

Dans le café bleu
rue Bleue
les néons verts dessinent un paysage
avec les tables hexagonales surélevées
entre les deux bars,
c'est le périmètre du café
Pas un client
Un grand écran vidéo privé de son
Une émission de radio avec publicité
Deux livreurs de bière

La neige tombe à l'extérieur
doucement
Pas de vent

Les chaises,
tabourets de bar améliorés
en métal
sont alignées, vides
La serveuse en short et bas à résille
depuis le matin
Néons bleus et verts
La radio se tait
Le bruit du chauffage retentit

La radio redémarre
« Dur dur d'être un bébé »
Un livreur fait son apparition
Il inspecte la table de billard
jette un coup d'œil
sur le vidéo silencieux
attend le règlement de la facture
quitte l'établissement

Une accalmie est prévue
en fin d'après-midi

La paix est à regagner
la paix dans mon cœur
mais le soleil fait de la musique dans l'herbe

et c'est un moment de Bonheur
    oh! vertige!

TABLE